Cómo corregir a una maestra malvada

Miren Agur Meabe

Cómo corregir a una maestra malvada

Ilustraciones: Maria Espluga

edebé

Título original: *Nola zuzendu andereño gaizto bat.*

Paseo de San Juan Bosco, 62
08017 Barcelona
www.edebe.com

Atención al cliente: 902 44 44 41
contacta@edebe.net

Directora de la colección: Reina Duarte
Diseño de cubiertas: César Farrés
Ilustradora: Maria Espluga
Traducción de la propia autora

10.ª edición

ISBN: 978-84-236-7549-1
Depósito legal: B. 8006-2011
Impreso en España
Printed in Spain
EGS - Rosario 2 - Barcelona

A mi hijo Joanes y compañía,
para que siempre les guste ir a la escuela.
Y a todos los niños, niñas,
maestros y maestras que se quieren.

13 de septiembre, miércoles

Tengo un problema. Tengo un problema desde el lunes pasado. Y ya es miércoles.

Éste es mi problema: no me gusta la nueva maestra. Se ríe poco, lanza miradas feroces y, además, su bata es de color gris.

14 de septiembre, jueves

A veces siento ganas de llorar, pero no quiero empezar porque me entra aire por la boca. No conviene que te entre aire por la boca: produce hipo o dolor de tripa.

Mi corazón se está volviendo del color de la bata de la maestra.

15 de septiembre, viernes

Pablo me ha contado un secreto: anoche se hizo pis en la cama. No le había pasado desde que tenía tres años...

Le he dicho:

—No te preocupes, Pablo. Yo una vez soñé que estaba en el váter y mojé la cama.

Pero en realidad lo que yo pensaba era esto otro: «No me extraña que te hayas hecho pis, ¡con la mirada que te echó ayer la maestra!»

16 de septiembre, sábado

Siento pena por Pablo. Siento pena por mí misma. Creo que escribiré un poema.

Poema de la alumna triste

Una ola aburrida sin verano,
un huevo perdido sin hermanas ni hermanos,
un cerezo encerrado en una verja,
un pendiente que no encuentra oreja,
un estuche de pinturas sin pinturas,
el fondo del mar herido de basuras,
un traje de fiesta sin lentejuelas...
Eso soy yo ahora en la escuela.

17 de septiembre, domingo

El fin de semana me ha sentado de maravilla. Escribir el poema me ha relajado.

18 de septiembre, lunes

Pablo ha vuelto a hacerse pis. Está claro: no nos gusta la maestra de este año. Nos da miedo. Ésa es la cuestión.

Necesito un teléfono móvil para llamar a casa en caso de emergencia.

19 de septiembre, martes

Resumen de la conversación con mis padres:

—¿Un teléfono móvil? ¿Para qué?

—Para llamaros en caso de emergencia. Tengo un problema en la escuela.

Mis padres se han puesto serios. Me han dicho que esté tranquila, que pronto querré mucho a la nueva maestra.

—¿Cómo voy a querer a una maestra que todavía no sabe mi nombre, eh?

Mis padres piensan que mi problema se arreglará por sí solo.

20 de septiembre, otra vez miércoles

Ha pasado una semana desde que empecé a escribir este diario y seguimos igual. Hay que hacer algo antes de que sea demasiado tarde.

21 de septiembre, jueves (1.ª parte)

Hemos celebrado una asamblea secreta. Nos hemos reunido todos los compañeros bajo el árbol del patio trasero.

—¡No podemos seguir así! —ha protestado Juan, enérgico, con el puño en alto.

—Debemos solucionar este problema —ha añadido Maite, preocupada, meneando la cabeza.

—¡Claro! Pero vamos a ver, ¿quién tiene una propuesta concreta? —ha intervenido Javier.

—Hay que ponerle el cascabel al gato —he propuesto yo.

(Continuación del jueves en las próximas páginas)

21 de septiembre, jueves (2.ª parte)

Y les he contado el cuento del gato y los ratones, muy brevemente:

—Hace mucho, mucho tiempo, unos ratoncitos vivían atemorizados por culpa de un gato. Un día decidieron ponerle un cascabel. Así oirían cuándo se acercaba y podrían escapar...

—¡Pero a la señorita no hay que ponerle ningún cascabel...! —me ha interrumpido una persona cuyo nombre no quiero ni pronunciar.

Bueno, como esto es un diario tengo todo el derecho de decir quién ha sido: ha sido I. I.

O sea, Ignacio I.

Ignacio Iturbe. ¿Quién si no?

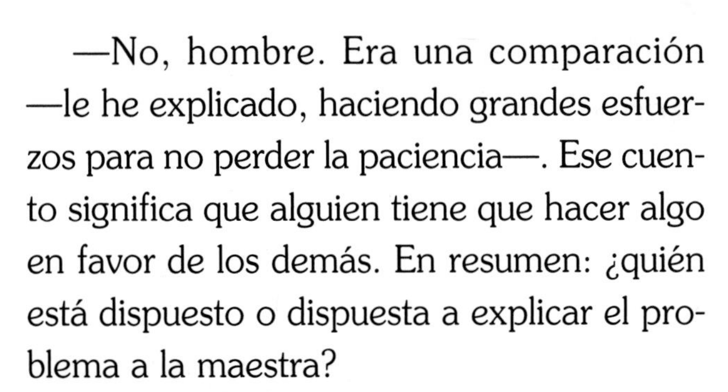

—No, hombre. Era una comparación —le he explicado, haciendo grandes esfuerzos para no perder la paciencia—. Ese cuento significa que alguien tiene que hacer algo en favor de los demás. En resumen: ¿quién está dispuesto o dispuesta a explicar el problema a la maestra?

En ese preciso momento ha sonado el timbre y hemos tenido que suspender la asamblea. Mañana nos reuniremos otra vez y llevaremos cada uno nuestra propuesta bien reflexionada.

22 de septiembre, viernes (continuación de la asamblea)

En la asamblea de hoy Joaquín ha empezado una sucia campaña:

—Debería decírselo Nerea porque es la mayor de todos.

Nerea se ha molestado mucho:

—¿Por qué la mayor? ¿Por qué no el menor? ¡Joaquín, jeta, díselo tú, que eres el menor!

Pablo me miraba atentamente sin decir nada, como si yo fuera su única esperanza.

—¡Hacemos una votación y listo! —he cortado la discusión.

Todo el mundo se ha quedado mudo al oír lo de la votación. Eso quiere decir que no habrá votación.

Por lo tanto, nadie dirá nada a la maestra.

Por lo tanto, seguiremos como hasta ahora.

Conclusión: vivir como ratones, ¡qué triste destino!

23 de septiembre, sábado

¡Qué! ¿Acaso fue poco lo de ayer? Me quedé agotada explicando todo aquello.

No estoy de humor para escribir nada. No tengo ganas de pensar en nada.

24 de septiembre, domingo

¿Otra vez? ¡Que no estoy para nadie, caramba!

25 de septiembre, lunes

Este fin de semana no he hecho los deberes. Se me olvidó. No es extraño con tantas preocupaciones en la cabeza y tantas tristezas en el corazón...

La señorita me ha hecho quedarme durante el recreo para terminar los deberes.

Le he dicho, igual que los soldados de las películas, mirando fijamente al frente:

—Usted sabrá. Si es maestra, será porque es sabia.

—Claro que sí, yo soy sabia y tú eres una marisabidilla.

Lo han oído todos. Todos. Me ha empezado a picar el cuerpo. Me cosquilleaban los ojos. Pero he disimulado y he dicho que se me había metido una pestaña.

26 de septiembre, martes

No tengo tiempo para nada: debo hacer los deberes. Sin falta.

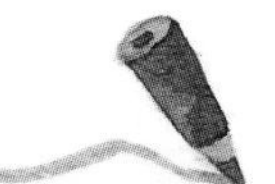

27 de septiembre, miércoles

No he pegado ojo. Me he pasado la noche dando vueltas en la cama. He tenido una pesadilla: se me olvidaba hacer los deberes y la señorita me encerraba en el cuarto de la limpieza. Me he despertado empapada en sudor en medio de la larga, oscura y solitaria noche. He ido a la habitación de mis padres.

—¿Qué ocurre, cariño? —me ha preguntado mamá.

Papá dormía como un tronco.

—He tenido una pesadilla. Dejadme dormir con vosotros.

Papá, aunque estaba dormido como un tronco, ha dicho «grrr», o sea, «ni hablar».

—Hala, vete a tu cama y espera. Voy a prepararte una tila —me ha dicho mamá.

Me la ha traído en mi bol preferido (el que tiene dibujitos de mariposas y mariquitas), y ha intentado consolarme:

—Dejaremos abierta la ventana. Ya verás cómo en cuanto te bebas la tila, la pesadilla se marcha a otra parte.

—Pero no se irá al cuarto de ningún niño, ¿no? Porque si se mete en el de Pablo…

—Tranquila, el viento se lleva todos los sueños feos a una cueva que hay al otro lado del mundo y los deja allí.

Era verdad. Me he dormido en seguida y luego he soñado con mariposas y mariquitas: celebraban una fiesta encima de mi tripa, iban en pasacalle. Me he despertado riendo. Eran las ocho de la mañana. Papá me hacía cosquillas en la tripa para levantarme e ir a la escuela.

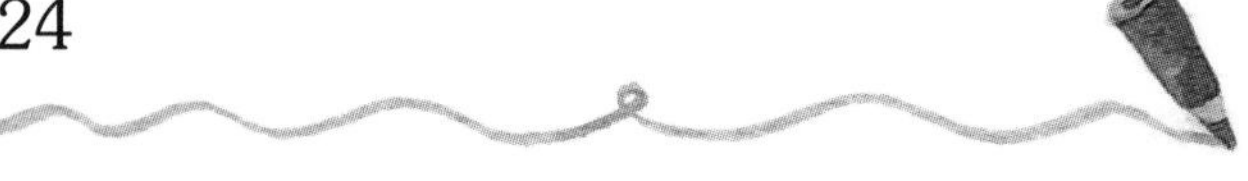

28 de septiembre, jueves

¡Dios mío! Pablo no ha venido hoy a clase. ¿A que es culpa de la pesadilla? Se habrá metido en su habitación y...

Por la tarde, a la hora de salir, he visto a la madre de Pablo que iba en coche hacia la escuela. ¿A qué habrá ido? Tal vez a quejarse... ¿Será el principio del final de nuestro problema?

29 de septiembre, viernes

También hoy ha faltado Pablo. Le he telefoneado pero no contesta nadie.

¿Pablo, dónde estás? ¿Se te ha llevado el viento con pesadilla y todo? ¡Qué angus-

tia...! A este paso voy a enfermar. Los nervios, claro.

Menos mal que el viernes es el día de Marilia. Vendrá más tarde. Los viernes por la noche viene a mi casa Marilia Tumbole y se queda conmigo hasta que papá y mamá vuelven del cine, del teatro o de algún concierto.

De mayor, me gustaría ser como Marilia, aunque eso es imposible, pues mi piel es del color de las nubes, y la de Marilia, en cambio, del color de la tierra.

La cabeza de Marilia me recuerda una planta exótica, porque tiene ciento ochenta y tres trencitas con bolitas de cristal como bayas moradas, amarillas, rojas, azules, naranjas, verdes, rosas y blancas.

Para no tener envidia de mis padres, Marilia y yo ponemos el aparato de música y practicamos bailes y canciones de su pueblo.

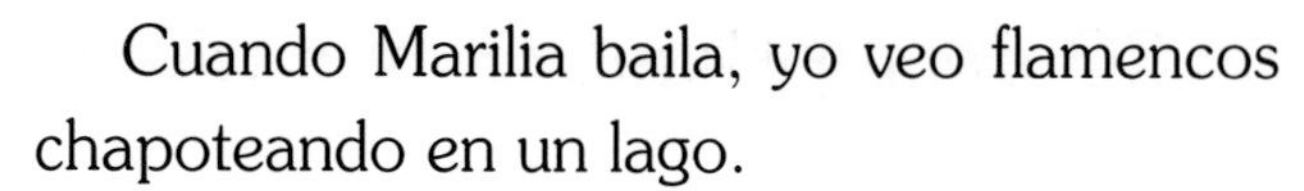

Cuando Marilia baila, yo veo flamencos chapoteando en un lago.

Cuando Marilia canta, su voz parece un río en la sabana.

30 de septiembre, sábado

Son las 9:00 horas.

Voy a hacer un experimento. Me dio la receta Marilia.

Receta para ahuyentar el miedo

Material: una hoja de papel – vinagre – un recipiente mediano – pinturas – sal – un tenedor – tijeras – polvos pica-pica.

Procedimiento:

1. En primer lugar, identificar el elemento (persona, animal o cosa) que nos asusta.

2. A continuación, dibujar ese elemento en una hoja y colorearlo. Recortarlo por los bordes con las tijeras.

3. Mezclar la sal y el vinagre en el recipiente. Introducir el dibujo y pincharlo con el tenedor todas las veces que se quiera. Añadir los polvos pica-pica y batir.

4. Dejar la mezcla en reposo durante 12 horas. A las 12 horas, echarla por el agujero del váter. Se recomienda tirar de la cadena 3 veces por lo menos.

Ésa es la receta para ahuyentar el miedo. La he seguido paso a paso, con el pestillo del cuarto de baño echado. Mis padres no se han extrañado, porque normalmente me dedico a leer cuentos allí y tardo mucho.

El dibujo de la maestra me ha salido bastante bien, pero lo he hecho un poco libre: le he dibujado colmillos de vampiro y una capa negra en vez de la bata gris.

Son las 21:00 *o´clock*.

Se han cumplido las 12 horas. Lo hecho, hecho está.

1 de octubre, domingo

¡Menuda peste tengo en las manos! Hoy me tomo el día libre.

Gracias al conjuro, de ahora en adelante no tendré miedo de la maestra, creo.

(Las cinco de la tarde)

Me ha telefoneado Pablo. Estoy que echo chispas.

—Hola, soy Pablo. ¿Qué tal?

—¡Pablo! ¿Dónde estás? ¿Te encuentras bien? ¿Por qué no has venido a clase estos días?

—Mamá se ha vuelto a casar y lo hemos estado celebrando. Te llamo desde una casa rural.

—¿Desde una casa rural? ¿No estás enfermo? ¿Y la pesadilla? ¿Y el asunto del pis?

—¿Lo del pis? No era nada. El médico me dijo que seguramente me enfrié. Ya se me ha pasado. No he vuelto a mojar la cama. Y tú, ¿qué tal en la escuela?

He colgado el auricular sin más. *The End.* Se acabó. A partir de hoy, cada cual por su camino.

2 de octubre, lunes

¡Qué curioso! Cuando menos lo esperaba, he encontrado una forma de plantear el problema. Voy a enviar a la maestra una carta anónima diplomática.

Una carta es anónima cuando no se pone la firma. Así, quien la recibe no puede saber quién se la envía.

Una carta es diplomática cuando se dicen suavemente cosas muy fuertes. Así, quien la recibe se entera pero no se enfada.

La escribiré mañana.

3 de octubre, martes

He aquí la carta.

Ésta es una copia. La auténtica está en el cajón de la maestra. Se la he dejado a escondidas.

En la escuela, a 3 de octubre

A la nueva señorita:

Por medio de esta carta, quisiéramos encontrar la solución a un problema, si es posible.

Nuestras preguntas son:

a) ¿Por qué se ríe usted tan poco?

b) ¿Por qué lanza esas miradas tan feroces?

Le escribo en nombre de todas y todos los de la clase (aunque no lo saben), esperando tenga en cuenta nuestra preocupación.

Reciba un sincero saludo.

Sin firma

Nota: Tampoco nos gusta mucho el color de su bata.

4 de octubre, miércoles

No sé cómo se habrá tomado la maestra lo de la carta, pero el caso es que no ha venido a clase. En su lugar ha estado con nosotros el director. He pasado todo el día mirando al cuaderno y sin decir ni pío.

5 de octubre, jueves

¡¡¡Tampoco ha venido hoy!!!

¿No usaría yo demasiado pica-pica en el experimento del sábado? ¿No habré hecho ninguna brujería, verdad? ¿Seré bruja? Yo no quiero ser bruja. Yo quiero ser abogada. O pensadora. O mejor, directora de orquesta.

6 de octubre, viernes

¡Horreur! Me está ocurriendo algo que nunca pensé que me ocurriría: estoy preocupada por la maestra.

Bueno, bueno, tranquila, querida, me digo a mí misma. Si vuelve, bien. Y si no vuelve, ¡qué le vamos a hacer! Tú no tienes nada que ver. Tú sólo querías corregir a una maestra malvada.

7 de octubre, sábado

He recibido una visita en casa. Era Pablo, con un regalo: me ha traído un cuadro de flores y hojas secas. Lo ha hecho él mismo en la casa rural.

Así, nuestros caminos separados han vuelto a encontrarse.

Para celebrarlo, nos hemos comido entera una caja de bombones que mamá tenía guardada en el armario de la sala. Los hemos saboreado en silencio, mientras pensábamos que la vida es como los bombones: no hay más remedio que probarlos todos, los de chocolate blanco y los de chocolate negro.

8 de octubre, domingo

¡Menudo discurso me ha echado mamá por comernos los bombones sin permiso! Le he explicado que fue una celebración especial, un símbolo de las luces y sombras de la vida.

Ha pestañeado dos o tres veces y no me ha castigado. Mamá tiene una poeta dentro y cuando le digo frases como ésa la dejo K.O.

9 de octubre, lunes

¡Aleluya! La maestra ha vuelto. La verdad es que cuando la he visto no sabía si alegrarme o entristecerme. Ahora puedo confesar que se me ha quitado un gran peso de encima.

10 de octubre, martes

He recibido la respuesta de la maestra. Una nota en un papel cuadriculado. Ha aparecido en mi mochila. ¿Por qué precisamente en mi mochila? ¿Cómo habrá adivinado que fui yo quien le escribió la carta? ¡Si no firmé… y además fingí la letra!

He leído la nota en voz alta a mis compañeros y compañeras en los vestuarios del gimnasio. Han respirado hondo y han dicho: «¡Uffff!»

Respuestas:

a) Me río poco porque me duelen las muelas.

b) Lanzo miradas feroces porque acabo de ponerme lentillas y me molestan mucho.

La maestra

(No pienso cambiar de bata. El gris es un color muy bonito. El pelo de mi madre es gris. El mar, en invierno, parece grisáceo. Algunos pájaros tienen plumas agrisadas…)

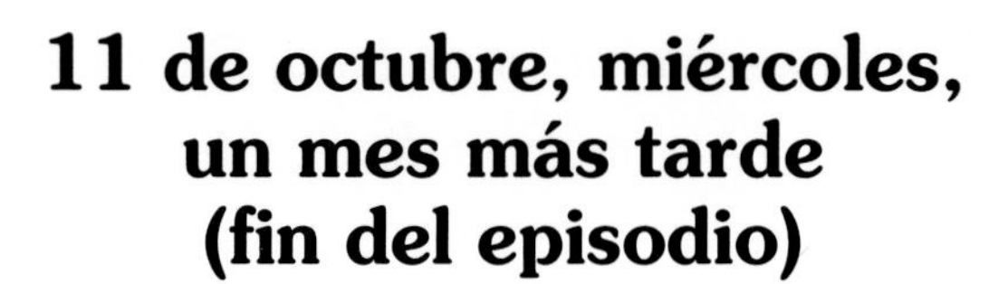

11 de octubre, miércoles, un mes más tarde (fin del episodio)

Hoy, mi maestra, nada más entrar en clase, ha dicho que empezaríamos cantando y que no nos mandaría deberes para casa.

Sonreía mucho y le brillaban los ojos.

Creo que se le ha curado el dolor de muelas y ya se ha acostumbrado a las lentillas.

TUCÁN NARANJA
+8 años

Mª Teresa Aretzaga, *Rana por un día*
Paula Carballeira, *Correo urgente*
David Paloma, *Vacas Guapas*
Miren Agur Meabe, *Cómo corregir a una maestra malvada*
Blanca Álvarez, *Se busca novio principesco*
Mª Teresa Aretzaga, *El otro sastrecillo*
Paz Hurlé Becher, *Sólo cuando tengo miedo*
Ruth Silvestre, *La anciana que vivía en un tiovivo*
Agustín Fernández Paz, *La escuela de los piratas*
Olga Xirinacs, *Patatas fritas*
Gloria Sánchez, *Manual para una pequeña bruja*
Fina Casalderrey, *El estanque de los patos pobres*
Alfredo Gómez Cerdá, *El Ave del Amanecer*
Jacques Vriens, *Tenéis que hacer las paces*

Paloma Bordons, *Mi vecina es una bruja*
Mª Paz Hurlé, *Algo raro está pasando*
Gabriel García de Oro, *La noche que tuve un monstruo encerrado en el armario*
An Alfaya, *Down*
Amèlia Mora Sanromà, *Y Rapunzel se cortó la melena*
Enric Lluch, *¡Pobres animales!*
Patxi Zubizarreta-Juan Kruz Igerabide, *Siete noches con Paula*
Juan Kruz Igerabide, *Caperucita y la Abuela Feroz*
Carlos Puerto, *Llegó del mar*
Manuel L. Alonso, *Un regalo para Nines*
Nacho Faerna, *Olvídate de subir a los árboles*
Xelís de Toro, *La máquina cuentacuentos*
Blanca Álvarez, *Cósima en el jardín*
Cristòfor Martí i Adell, *El perro invisible*
Gabriel Janer Manila, *Mehdi y las lunas del zoo*
Enric Lluch, *Caballero o caballera, lo sabrás a la primera*
Agustín Fernández Paz, *Querido enemigo*

Jackie Niebisch, *Los pequeños salvajes*
Juan Abreu, *El gigante Tragaceibas*
Gabriel García de Oro, *El gusano que pudo ser rey*
Juan Kruz Igerabide, *A una nariz pegado*
Lolita Bosch, *¿Se puede saber quién ha dejado esta piedra aquí en medio?*
Xabier Mendiguren, *Voy sobre ruedas*
David Nel·lo, *El año de los piojos*
Miren Agur Meabe, *Una estrella en la sopa*
Paloma Bordons, *La noche de los cuchicuchis*
Ángeles González-Sinde, *Rosanda y el mar de cristal*
Lolita Bosch, *El zoológico de Lolita*
Margarita García Gallardo, *Una de indios y vaqueros*
Enric Lluch, *De cigüeñas despistadas y princesas intercambiadas*
Martín Piñol, *La fabulosa leyenda del secador mágico*